Musique française

Philippe Gaubert

FANTAISIE

Flûte et piano • Flute and piano • Flöte und Klavier • Flauto e pianoforte

Notes d'interprétation • *Notes on interpretation*
Anmerkungen zur Interpretation • *Note per l'interpretazione*
Bruno Jouard

ÉDITIONS SALABERT

édition du 15 octobre 2018

EAS 20432

Table - Contents - Inhalt - Indice

Fantaisie
pour flûte et piano

Genèse

Marc Vignal[1] décrit la *fantaisie* comme «une pièce instrumentale de forme assez libre et proche de l'improvisation, mais non sans rapports avec des formes plus strictes déjà en usage. Concrètement, la fantaisie évolue entre ces deux pôles : la liberté, ou plutôt l'anormal (ni l'un ni l'autre ne voulant dire anarchie), d'une part, la rigueur d'autre part »[2]. La *Fantaisie* de Philippe Gaubert de 1912, dédiée à Léopold Lafleurance[3], s'adapte en tous points à cette description. Pièce en deux mouvements, elle est le reflet d'une époque aux scintillements des Debussy, Ravel ou même Gabriel Fauré. Ce peut être un hommage à ce dernier car il lui vouait une grande admiration. Fauré composa sa *Fantaisie* pour flûte et piano en 1898 pour le concours du Conservatoire de Paris, Gaubert pour les concours de 1920 et 1932.

Les nombreuses pièces pour flûte de Gaubert témoignent de l'intérêt qu'il portait à son instrument (même si il le délaisse peu à peu à partir de 1922 pour des lèvres fragiles qui ne lui laissent plus le bonheur de sa virtuosité d'antan) et aux flûtistes, notamment à ses élèves (dédicace de la *Ballade* de 1927, dédicace de la *Deuxième Sonate* de 1927). En 1892, Claude Debussy dévoile un nouveau monde sonore grâce à son fameux solo du *Prélude à l'après midi d'un faune,* offrant à la flûte ses nouvelles lettres de noblesse. Gaubert va lui aussi participer à cette portée aux nues de l'instrument avec sa *Fantaisie*: couleurs chatoyantes, esprit évanescent et improvisé.

[1] Marc Vignal (1933), musicologue français, journaliste et chroniqueur d'émissions radiophoniques.

[2] Marc Vignal, *Fantaisie, musique*, Encyclopaedia Universalis, https://www.universalis.fr/encyclopedie/fantaisie-musique/, consulté le 6 août 2018.

[3] Léopold Jean-Baptiste Lafleurance (1865–1953), flûtiste français et professeur au Conservatoire de Paris de 1915 à 1919. Ami cher de Philippe Gaubert et élève d'Henri Altès puis de Taffanel, il fut flûte solo des Orchestres Lamoureux, de l'Opéra de Paris et de la Société des Concerts.

Notes d'interprétation

Ces notes ont pour but d'accompagner le flûtiste dans sa réflexion sur l'interprétation de l'œuvre et non de lui en dicter une. La *Fantaisie* est en deux parties:

I. Moderato, quasi fantasia
   Assez Lent
   Lent. Tempo I
II. Vif (à un temps)

Elle regroupe et met en valeur toutes les qualités techniques de la flûte : une souplesse sonore sur presque tout l'ambitus, une régularité de doigts et de détaché sans faille (un petit clin d'œil aux futurs exercices journaliers de 1927)[4].

I. «Moderato, quasi fantasia» (mes. 1 à 13) : une flûte en liberté

Cette partie s'apparente à une improvisation. Dans cette introduction on remarque que la liberté et la virtuosité de la flûte sont clairement mises en avant, soulignées par les interventions extrêmement rares du piano. La figure rythmique du triolet a été choisie pour accentuer et permettre cet esprit «rubato fantasia».

▪ Mes. 1 à 3: exposent tout de suite cet esprit d'improvisation par les triolets, que l'on ne jouera donc pas strict au tempo. La nuance ***pp*** douce doit être respectée d'une manière générale pour pouvoir mettre en avant la répétition de ce début aux mes. 4, 5, 6 et 7. Veillez au détaché du *la* mes. 2, qui doit reprendre la même couleur laissée précédemment, donc attaque douce.

▪ Mes. 8 à 13 : une deuxième partie à l'esprit improvisé commence soutenue par des envols de sextolets de triples croches – mes. 8 et 10 – que l'on ne jouera pas trop vite pour garder cette douceur chaleureuse du mouvement.

Veillez à bien tenir – comme un tenuto – le *sol* croche du troisième temps mes. 8 pour montrer la direction du phrasé – que l'on pourra souligner avec un léger crescendo naturel vers la mes. 9 – vers le

[4] Les «17 exercices journaliers» sont un extrait de la fameuse *Méthode complète de flûte* écrite en collaboration par Philippe Gaubert et son maître Paul Taffanel: l'un des fondateurs de l'école française de flûte.

sol mes. 9 qui retombera avec un diminuendo naturel vers le *do*♯ ***p***, afin de relancer le même discours en commençant par la nuance ***p*** aux mes. 10 et 11. Même chose pour le *sol* aigu croche du troisième temps mes. 10, que l'on tiendra – comme un tenuto – pour arriver grâce à un crescendo naturel au *sol* aigu de la mes. 11.

▪ Mes. 11 : il est impératif de garder une nuance ***f*** large (non agressive) afin de garder une belle homogénéité de nuances entres les mes. 12 et 13. Je recommande de détendre – en ce qui concerne la vitesse des doigts – un peu le deuxième motif fusée ***pp*** de la mes. 13 et de tenir un peu plus longtemps le *sol* aigu du quatrième temps, pour vraiment donner ce sentiment d'écho. Toujours mes. 12 et 13, attention au vibrato pour les *do*♯ graves blanches : le *do*♯ ***f***, intensité assez rapide, et presque pas de vibrato sur le *do*♯***p*** mes. 13.

L'**Assez lent** (mes. 14 à 42) expose le thème principal de ce premier mouvement. L'interprète devra suivre sur cette partie un tempo strict en mesure, le côté fantaisie sera apporté naturellement par le discours écrit sous forme de vagues ondoyantes soutenues par les nuances jusqu'à la fin du mouvement – souvent changeantes entre ***p*** et ***f***. C'est un vrai dialogue entre la flûte et le piano.

▪ La première phrase s'articule sur 5 mesures (14 à 18). Elle doit être plutôt sonore – ***mf*** voire plus – et toujours très legato, avec un détaché doux pour un discours sans heurts. La phrase suivante, étant le même thème mais décliné un peu plus haut, pourra donc s'épanouir dans une nuance beaucoup plus douce de 19 à 21. Le crescendo mes. 20 et 21, le ***p*** (subito) mes. 22 et 24 ainsi que le *en animant un peu* (soutenu à la partie de piano par des flots de triples croches perlées en ***pp***) favoriseront pleinement cet esprit «fantasia», qu'il est indispensable de réaliser jusqu'à la mes. 28.

▪ Mes. 26 : il est possible de déclamer les *fa*♯, *sol* et *mi*♭ aigus noires en portant un détaché plus précis, plus incisif. Cependant on peut aussi les jouer tenutos comme notées pour arriver plus rapidement sur le premier temps *ré* croche mes. 27 et le *do* appogiature mes. 28.

▪ La mes. 29 reprend la tête du thème à la tierce et le discours est très rapidement tronqué par des figures rythmiques reprenant l'esprit d'improvisation de début de pièce. Les petites notes de la mes. 31 sèment le doute dans l'enchaînement harmonique, il faut bien suivre les crescendo / decrescendo et veiller à une belle qualité sonore sur le *sol*♯ aigu cinquième temps.

Toujours dans l'optique de faire ressentir cet esprit d'improvisation de l'introduction (la mesure repasse en $\frac{3}{4}$ mes. 32), Gaubert reprend certains motifs ou ornementation de la première partie : notamment le mordant (attention, ne pas exagérer le *plus vite*), mais aussi de nouveaux motifs fusées, qui cette fois seront joués plus vite puisqu'il s'agit de septolets. On veillera tout de même à une bonne diction des traits, comme pour le *pressez* mes. 37 (qui sera exécuté sans grande exagération, on le traduira par «avancez»). L'envol de sextolets mes. 41 et 42 – que l'on pourra jouer stricts au tempo ou avec un léger accéléré, le dernier triolet détendra le tempo avant le point d'orgue – termine cette partie en point d'interrogation sur le *la*♭ aigu.

Lent. Tempo I (mes. 43 à 54) : peut être considéré comme une cadence de la flûte préparant le sentiment de vitesse du deuxième mouvement **Vif (à un temps)** ternaire et ce par la vitesse des triolets exprimée sur la fin : mes. 47 et 48.

▪ Mes. 43 : la virtuosité de la flûte est mise en valeur par le trait de douze triples croches en arpège vers le *fa* aigu quatrième temps mes. 43. On jouera le trait en sextolet de doubles croches délicatement sans presser vers le début des triolets mes. 45. On suivra un dessin naturel de nuances parallèlement à la courbe de la mélodie afin d'arriver assez fort en début de mes. 47, pour pouvoir diminuer vers le ***p*** de la mes. 49. Il est essentiel de bien réaliser le *animez* inscrit sous la mes. 45 et de ne pas décélérer avant le trille *ré*♭ point d'orgue mes. 48.

▪ Mes. 49 à 54 : attention au discours qui ne doit être en aucun cas dérangé par un détaché trop présent, ainsi qu'au dernier *ré* aigu mes. 53 et 54 souvent un peu bas suite à la nuance ***pp***.

II. «Vif (à un temps)» (mes. 55 à 261) : le burlesque et la virtuosité

▪ Mes. 62 à 77 : introduction virtuose – référence à une régularité sans faille de l'école française de flûte – sur Si♭ Majeur. Veillez à ne pas être en retard sur les deuxièmes doubles croches des mesures 64 – après le trille sur *la*♮, *si*♭ – et 66 – après le *sol* aigu, *fa* aigu.

Le premier thème du **Vif** est annoncé mes. 77 ; veillez à piquer le *ré* aigu croche mes. 79. Cela débute l'esprit léger et burlesque de ce thème.

▪ Mes. 90 et 92 : attention à ne pas être en retard sur la deuxième double croche : *mi*♭.

▪ Mes. 98 à 116 : il s'agit là d'une transition pour passer au deuxième thème du **Vif**, très mélodieux, chanté : ***p*** *calme mais bien expressif*. Le thème est beau et bien lié, comme pour celui du **Assez lent** du premier mouvement, je recommande donc de jouer délicatement le mordant mes. 120, ainsi que les petites notes 124, 126 et 128 pour éviter tout heurt dans le discours.

▪ Une partie très virtuose se développe à partir de 141 ;

j'opterais pour exagérer le crescendo puis garder un triple détaché perlé et léger en changeant la nuance ***f*** pour un ***p***, juste après le *la* aigu ***f*** de début de mes. 141. Puis un crescendo de la mes. 142 à 144 qui permettra un diminuendo vers la mes. 145. La nuance générale reste ***p*** jusqu'à la mes.151 où j'opterais pour un ***mf*** sur le trille *la – si*♭ pour que le ***f*** n'arrive pas trop abruptement mes. 155.

▪ Mes. 149 à 154, attention aux différents trilles:
- mes. 149: *ré* grave – *mi*♭ et *la*♮ – *si*♮
- mes. 150: *ré – mi*
- mes. 151 et 152: *la – si*♭
- mes. 153: *ré* aigu – *mi* aigu (4e doigt main gauche)
- mes. 154: *ré* aigu – *mi*♭ aigu (clef de trille B).

▪ Après le passage virtuose de 156 à 160, il serait préférable de respirer après le *sol* croche de la mes. 165 pour respecter la tête de thème (deux noires pointées enchainées).

▪ Les mes. 182 et 183 amènent à la mes. 184 une nouvelle armure et un souvenir du thème principal du premier mouvement (mes. 14); je recommande de jouer ce thème dans une nuance douce, moins forte que le passage précédent, c'est pourquoi j'opterais pour un léger diminuendo sur ces deux mes. 182 et 183.

▪ Le passage de transition (mes. 206 à 211, *en pressant un peu*) – qui doit être joué sans heurt afin de ramener de manière naturelle le **A tempo** de 212 – amène la réexposition de la mélodie burlesque de début de mouvement (mes. 77) mais cette fois-ci ***p***. Pour le final, mes. 212 à 261, comme au début du mouvement, veiller à une bonne régularité de doigts. À la mes. 256, il est envisageable de faire un point d'orgue court sur le *ré* grave avant de jouer la dernière envolée et faire planer une dernière fois le doute sur la fin de la pièce.

Bruno Jouard

Fantaisie
for flute and piano

Genesis

Marc Vignal[1] described the *fantasia* as "an instrumental piece of quite free form and close to improvisation, but not without links to some stricter forms already in use. In practical terms, the *fantasia* moves between these two poles: freedom, or rather the abnormal (though neither of these terms signifying anarchy) on the one hand; rigour on the other".[2] Philippe Gaubert's *Fantaisie* of 1912, dedicated to Léopold Lafleurance,[3] fits this description perfectly. A piece in two movements, it is the reflection of the golden age of Debussy, Ravel or even Fauré. It could be an homage to the last of these, for whom Gaubert had a great admiration. Fauré composed his *Fantaisie* for flute and piano for the 1898 competition of the Paris Conservatoire: Gaubert submitted his for the competitions of 1920 and 1932.

Gaubert's many compositions for flute demonstrate the interest he had for his instrument (even though he gradually gave it up from 1922, as his lips became fragile and he no longer had his earlier virtuosity) and for flautists, notably his pupils (to whom he dedicated the *Ballade* and the *Deuxième Sonate* of 1927). In 1892 Debussy unveiled a new soundworld with his famous solo in *Prélude à l'après midi d'un faune*, which brought a new nobility to the flute. In his *Fantaisie*, Gaubert would also contribute to his instrument's reach for the skies, with its glistening colours and evanescent, improvisatory spirit.

[1] Marc Vignal (b. 1933): French musicologist, journalist, radio producer and broadcast archivist.

[2] Marc Vignal, *Fantaisie, musique*, Encyclopaedia Universalis, https://www.universalis.fr/encyclopedie/fantaisie-musique/ (consulted 6 August 2018).

[3] Léopold Jean-Baptiste Lafleurance (1865–1953), French flautist and teacher at the Paris Conservatoire from 1915 to 1919. A close friend of Philippe Gaubert, pupil d'Henri Altès then of Taffanel, he was a flute soloist of the Orchestres Lamoureux, of the Paris Opera and the *Société des Concerts*.

Notes on interpretation

These performance notes are intended as a companion to the flautist's own reflections on the interpretation of the piece, not to dictate a particular approach. The *Fantaisie* is in two parts:

I. Moderato, quasi fantasia [Moderato, like a fantasia]
  Assez lent [Quite slowly]
  Lent. Tempo I [Slowly. Tempo I]
II. Vif (à un temps) [Quickly (one beat in a bar)]

The piece gathers together and displays all the technical qualities of the instrument – a timbral flexibility across almost the entire range, precise fingering and a faultless detaché (a nod in the direction of the "17 daily exercises" – an extract from the famous flute method written in 1927 by Gaubert and his teacher Paul Taffanel, one of the founders of the French school of flute playing).

I. "Moderato, quasi fantasia" (bars 1–13): the flute at liberty

This is like an improvisation. In this introduction, one notices that the freedom and virtuosity of the flute are clearly brought to the fore, underlined by rare interventions from the piano. The rhythmic figure of the triplet was chosen to accentuate and allow this spirit of "*rubato fantasia*".

▪ Bars 1–3 immediately present the spirit of improvisation by means of the triplets, which should therefore not be played too strictly in tempo. The soft dynamic *pp* should be respected in a general fashion in order to mark the repetition of the start in bars 4, 5, 6 and 7. Look out for the *détaché* of A in bar 2, which must have the same colour as the previous bar – so with a soft attack.

▪ Bars 8–13: a second part of the improvisatory spirit begins, supported by the flights of sextuplet demisemiquavers (bars 8 and 10), which should not be played too quickly, in order to maintain the warm softness of the movement.

Make sure to hold the quaver G on the third beat of bar 8 like a tenuto, in order to show the direction (which one could emphasize with a light, natural crescendo) towards the G in bar 9. This then falls with a natural diminuendo towards the low C♯ *p*, only to repeat the same musical design (starting with the dynamic *p*) in bars 10 and 11. The same applies for the quaver high G on the third beat of bar 10, which should again be held like a tenuto in order to reach the high G of bar 11 via a natural crescendo.

- Bar 11: it is imperative to keep a broad but not aggressive *f* in order to maintain a good dynamic homogeneity between bars 12 and 13. Regarding the speed of the fingers, in bar 13 I recommend easing off on the second rocket motif (marked *pp*) and holding the high G on the fourth beat a little longer, in order to really make it sound like an echo. Still in bars 12 and 13, pay attention to the vibrato for the low C♯ minims: the first, *f*, needs quite rapid intensity; the second, *p*, should have almost no vibrato.

The **Assez lent**, bars 14–42, presents the principal theme of this first movement. The performer should play this part in strict tempo. The *fantaisie* character will occur naturally from the notation, in the form of the shimmering waves, supported by the dynamics towards the end of the movement, often changing between *p* and *f*. This is a true dialogue between the flute and the piano.

- The first phrase has a five-bar structure, linked to bars 14–18. It must be relatively resonant, indeed more or less *mf*, and always very legato, with only a very soft *detaché* to keep a smooth musical line. The following phrase (the same theme but stated a little higher) could therefore open out into a much softer dynamic at bars 19–21. The crescendo in bars 20 and 21, the *p* (*subito*) in bars 22 and 24, as well as the *en animant un peu* (supported in the piano part by the rippling streams of *pp* demisemiquavers) will further enhance the sense of *fantaisie* which it is essential to maintain until bar 28.
- Bar 26: it is possible to declaim the high F♯, G and E♭ crotchets by applying a more precise, incisive *détaché*. However one could also play them tenuto as written, in order to arrive more quickly at the D quaver at the first beat of bar 27 and the C appoggiatura in bar 28.
- Bar 29 restates the start of the theme a third higher, and the argument is very rapidly curtailed by the rhythmic figures that hark back to the improvisatory mood of the opening of the piece. The grace notes of bar 31 sow doubt into the harmonic progression; it is important to follow the crescendos and diminuendos, and ensure a good tone for the high G♯ on the fifth beat.

Still maintaining the improvisatory spirit of the introduction (the beat moves back into $\frac{3}{4}$ in bar 32), Gaubert repeats certain motifs and ornaments from the first part, notably the mordant (be careful not to exaggerate the *plus vite*), but also fresh rocket motifs, which at this point will be played more quickly since they are septuplets. One should respect the performance instructions here, such as the *pressez* in bar 37 (which should be executed without great exaggeration – one could translate it as *avancez*, moving forward). The flight of sextuplets in bars 41 and 42 – which one could play strictly in tempo or with a light accelerando, the last triplet relaxing the tempo before the pause – conclude this section with a question mark on the high A♭.

The **Lent. Tempo I** (bars 43–54) could be thought of as a flute cadenza. The triplets in bars 47–48 prepare for the sensation of speed in the second movement (compound time, one-in-a-bar) at bar 55.

- Bar 43: the virtuosity of the flute is emphasized by the arpeggio flourish of twelve demisemiquavers towards the high F on the fourth beat. The sextuplet semiquavers in bar 44 should be played delicately, without rushing, leading to the start of the triplets in bar 45. Follow the natural shape of the dynamics, which runs parallel to the melodic curve, thus arriving quite loudly at the beginning of bar 47, in order then to have scope to reduce the volume towards the *p* in bar 49. It is vital that the *animez* noted in bar 45 should be properly expressed: do not slow down before the trilled D♭ with the pause at bar 48.
- Bars 49–54: pay attention to the musical line here. It must never be disturbed by a too present *détaché*. Also watch out for the intonation of the in final high D bars 53 and 54, which is often a little too low because of the *pp* dynamic.

II. "Vif (à un temps)" (bars 55–261): burlesque and virtuosity

- Bars 62–77 are a virtuosic introduction in B♭ Major, referencing the faultless technical evenness of the French flute school. Guard against being late with the second semiquavers of bars 64 (B♭ after the trilled A) and 66 (the high F after the high G). The first theme of this section is stated at bar 77. Take care to shorten the high D crotchet in bar 79. This starts the light, burlesque spirit of this theme.
- Bars 90 and 92: make sure not to delay the second semiquaver (E♭).
- Bars 98–116: these bars are transitional towards the second theme of the **Vif** section, very melodious and song-like: *p calme mais bien expressif* (calm, but very expressive). The theme is beautiful and legato, as with that of the **Assez lent** section of the first movement; in order to avoid any breaks in the musical line, I recommend playing the mordant in bar 120 delicately, as well as the grace notes in bars 124, 126 and 128.
- A very virtuosic passage begins at bar 141. I would choose to exaggerate the crescendo, then maintain the triplets perfectly detached and light, changing

the dynamic ***f*** for ***p*** just after the high A at the beginning of bar 141. Then a crescendo through bars 142 to 144, which will allow a diminuendo towards bar 145. The general dynamic remains ***p*** until bar 151, where I would opt for a ***mf*** on the trilled A/B♭, in order that the ***f*** at bar 155 is not too abrupt.

▪ In bars 149 to 154, pay attention to the different trills:

- bar 149: low D/E♭ and A♮/B♮
- bar 150: D/E
- bars 151 and 152: A/B♭
- bar 153: high D/high E (fourth finger, left hand)
- bar 154: high D/high E♭ (B trill key)

▪ After the virtuoso passage from bars 156 to 160, at bar 165 it is preferable to breathe after the first G quaver of the bar, in order to match the opening of the theme (two linked dotted crotchets).

▪ Bars 182 and 183 lead to a new key signature in bar 184, as well as a hint of the principal theme of the first movement (bar 14). I recommend playing this theme quietly, less *forte* than the preceding passage. For this reason I would apply a light diminuendo on these two bars.

▪ The transitional passage in bars 206–211 (*en pressant un peu*) – which must be played smoothly and without interruptions in order to restore in a natural way the **A tempo** at bar 212 – brings about the restatement of the burlesque melody from the beginning of the movement (bar 77), but this time ***p***. For the final section, bars 212–261, ensure a good regularity of the fingers. At bar 256, it is conceivable to add a short pause on the low D before playing the last soaring phrase and letting uncertainty hover over the end of the piece for one last time.

Bruno Jouard
(translation by Anthony Marks)

Fantaisie
für Flöte und Klavier

Zur Entstehung der Komposition

Marc Vignal[1] beschreibt die Form der Fantasie als „eine formal sehr freie, der Improvisation nahestehende Instrumentalkomposition, die aber zugleich nicht ohne Verbindung zu gängigen strengeren Formen ist. Ganz konkret entwickelt sich eine Fantasie zwischen zwei Polen: sie ist zum einen frei oder eher unkonventionell (wobei weder das eine noch das andere mit Anarchie zu verwechseln ist), zum anderen aber formal streng."[2] Auf Philippe Gauberts 1912 entstandene *Fantaisie*, die Léopold Lafleurance[3] gewidmet ist, passt diese Definition perfekt. Die Komposition besteht aus zwei Sätzen und ist eine Reminiszenz an die Zeit der impressionistisch flimmernden Werke eines Debussy und Ravel oder auch eines Gabriel Fauré. Es könnte sich sogar um eine Hommage an Fauré handeln, denn ihn bewunderte Gaubert sehr. Fauré hat seine *Fantaisie* für Flöte und Klavier für die Abschlussprüfung des Conservatoire de Paris im Jahr 1898 komponiert, Gaubert schrieb seine für die Abschlussprüfung der Jahre 1920 und 1932.

Gaubert hat zahlreiche Werke für Flöte geschrieben. Sie beweisen sein besonderes Interesse für sein Instrument (auch wenn er es ab 1922 nach und nach aufgegeben hat, weil seine empfindlich gewordenen Lippen ihm nicht mehr die frühere Virtuosität erlaubten) und für Flötisten, insbesondere für seine Schüler (Widmung der *Ballade* aus dem Jahr 1927, Widmung der *Deuxième Sonate* aus dem Jahr 1927). Claude Debussy hatte 1892 mit seinem berühmten Flötensolo *Prélude à l'après-midi d'un faune* eine neue Klangwelt eröffnet und die Flöte geadelt. Auch Gaubert trug mit den schimmernden Farben und dem improvisierenden, flirrenden Charakter seiner *Fantaisie* zu solch neuen Höhenflügen seines Instruments bei.

[1] Marc Vignal (1933), französischer Musikwissenschaftler, Journalist und Autor von Radiosendungen.

[2] Marc Vignal, *Fantaisie, musique*. Encyclopaedia Universalis, https://www.universalis.fr/encyclopedie/fantaisie-musique/, abgerufen am 6. August 2018.

[3] Léopold Jean-Baptiste Lafleurance (1865-1953), französischer Flötist, 1915-1919 Professor am Conservatoire de Paris. Enger Freund von Philippe Gaubert. Schüler von Henri Altès und danach von Taffanel, Solo-Flötist der Orchestres Lamoureux, der Opéra de Paris und der Société des Concerts.

Anmerkungen zur Interpretation

Die hier folgenden Anmerkungen möchten dem Flötisten keine Interpretation vorschreiben, sondern ihn in seinen eigenen Überlegungen zur Interpretation der Komposition begleiten. Die *Fantaisie* besteht aus zwei Teilen:

I. Moderato, quasi fantasia
  Assez Lent
  Lent. Tempo I
II. Vif (à un temps)

Alle technischen Möglichkeiten der Flöte werden in ihr zusammengefasst und ausgestellt: der über fast den gesamten Umfang leicht ansprechende Ton und die makellose Regelmäßigkeit sowohl der Finger als auch des Détaché (ein kleiner Vorgriff auf die *Exercices journaliers* aus dem Jahr 1927[4]).

I. „Moderato, quasi fantasia" (Takte 1-13) – für eine sich ganz frei entfaltende Flöte

Dieser Teil nähert sich einer Improvisation an. Auffällig ist in dieser Introduktion, dass Freiheit und Virtuosität der Flöte deutlich ausgestellt werden, was durch die extrem seltenen Einwürfe des Klaviers noch unterstrichen wird. Die Triole als rhythmische Grundfigur wurde gewählt, um diesen Charakter eines „rubato fantasia" zu ermöglichen und zu betonen.

- Takte 1-3: sie exponieren diesen Improvisationscharakter sofort durch Triolen, die darum nicht strikt im Tempo gespielt werden sollten. Vorgeschrieben ist ein zartes ***pp***, das auf eine eher allgemeine Weise befolgt werden sollte, um so schon auf die Wiederholung dieses Anfangs in den Takten 4, 5, 6 und 7 vorauszuweisen. Zu achten ist auf das Détaché des a^1 in Takt 2, bei dem die vorherige Farbe wiederaufgenommen werden muss, darum ein sanfter Anstoß.
- Takt 8-13: ein zweiter Teil mit improvisatorischem Charakter beginnt, was – in den Takten 8 und 10 – durch aufsteigende Sextolen in Zweiunddreißigsteln unterstrichen wird, die nicht zu schnell gespielt werden sollten, um in der zarten, innigen Atmosphäre des Satzes zu bleiben.

[4] Die „17 exercices journaliers" sind ein Auszug aus der berühmten *Méthode complète de flûte*, die Philippe Gaubert zusammen mit seinem Lehrer Paul Taffanel schrieb, einem der Begründer der französischen Flötenschule.

Wie ein *tenuto* sollte die g^2-Achtelnote in der dritten Spielzeit von Takt 8 ausgehalten werden, um so schon einen Hinweis darauf zu geben, in welche Richtung die Phrasierung sich entwickeln wird. Betont werden könnte dies durch ein sich wie selbstverständlich ergebendes leichtes *crescendo* auf den Takt 9 hin und dann zum g^2 in Takt 9, das mit einem ebenfalls sich wie von selbst ergebenden *diminuendo* zum *cis*^{1} mit der Spielanweisung ***p*** wieder abfällt, um dann, beginnend mit dem ***p*** in den Takten 10 und 11, den gleichen Ablauf noch einmal zu wiederholen. Das gilt auch für die g^3-Achtelnote in der dritten Spielzeit von Takt 10, die – wie ein *tenuto* – ausgehalten werden sollte, um durch ein sich wie von selbst ergebendes *crescendo* das g^3 in Takt 11 zu erreichen.

▪ Takt 11: es ist unerlässlich, die Spielanweisung ***f*** breit (nicht aggressiv) durchzuhalten, um in den Takten 12 und 13 die angemessene Homogenität in der Dynamik zu erreichen. In Takt 13 beim zweiten aufsteigenden Motiv mit der Spielanweisung ***pp*** ist es empfehlenswert, in der Schnelligkeit der Finger ein wenig nachzugeben und das g^3 in der vierten Spielzeit etwas länger auszuhalten, um so wirklich das Gefühl eines Echos zu vermitteln. Ebenfalls in den Takten 12 und 13 sollte auf das Vibrato bei den beiden *cis*^{1}-Halben geachtet werden: das *cis* im *forte*, unvermindert gleichbleibendes Tempo und fast kein Vibrato auf dem *cis* im ***pp*** in Takt 13.

Das **Assez lent** – Takte 14-42 – exponiert das zentrale Thema dieses ersten Satzes. Der Interpret sollte hier ein Tempo streng im Takt befolgen, das Wesen einer Fantasie wird auf natürliche Weise durch die Melodieführung in Form von wogenden Wellen erreicht, die bis zum Ende des Satzes durch die Dynamik – die häufig zwischen ***p*** und ***f*** wechselt – unterstützt werden. Es handelt sich um einen wirklichen Dialog zwischen Flöte und Klavier.

▪ Die erste Phrase breitet sich in 5 Takten aus (14-18). Sie muss eher klangvoll – ***mf*** oder sogar etwas mehr – und immer sehr *legato* gespielt werden, mit einem weichen *détaché* für einen fließenden Verlauf. Die nachfolgende Phrase, die aus dem gleichen Thema besteht, aber etwas höher liegt, kann sich dann ab Takt 19-21 in einer etwas gedämpfteren Dynamik entfalten. Sowohl das *crescendo* in den Takten 20 und 21, dazu das ***p*** (subito) in den Takten 22 und 24 und auch die Anweisung *en animant un peu* (das im Klavierpart durch mit ***pp*** bezeichnete perlende Läufe in Zweiunddreißigsteln unterstützt wird) unterstreichen perfekt den Charakter einer Fantasie, der bis zu Takt 28 unbedingt durchgehalten werden muss.

▪ Takt 26: es ist möglich, die *fis*^{3}-, g^3- und *es*^{3}-Viertelnoten mit einem präziseren, sozusagen „prägnanteren" *détaché* vorzutragen. Doch können auch die Tenuti gespielt werden wie notiert, um rascher die d^2-Achtelnote in der ersten Spielzeit von Takt 27 zu erreichen und nachfolgend das c^2 mit Appoggiatura in Takt 28.

▪ In Takt 29 wird der Anfang des Themas um eine Terz erhöht wieder aufgenommen, und der Verlauf wird sehr schnell durch rhythmische Figuren gestört, die den Improvisationscharakter vom Beginn des Stücks wieder aufnehmen. Die kleinen Noten in Takt 31 lassen ein wenig Zweifel an der Harmonik aufkommen, hier sind die Anweisungen *crescendo/decrescendo* genau zu befolgen, zudem muss auf eine schöne Klangqualität bei dem *gis*^{3} in der fünften Spielzeit geachtet werden.

Um den Improvisations-Charakter der Introduktion weiter spürbar zu machen (Taktwechsel zurück zu $\frac{3}{4}$ in Takt 32), greift Gaubert auf bestimmte Motive oder Verzierungen aus dem ersten Teil zurück, insbesondere auf den Pralltriller (Achtung, die Spielanweisung *plus vite* sollte nicht übertrieben werden), er verwendet aber auch neue, aufsteigende Motive, die nun tatsächlich schneller gespielt werden sollten, da es sich um Septolen handelt. Trotzdem sollte auf den exakten Vortrag der schnellen Läufe geachtet werden, so etwa bei dem *pressez* in Takt 37 (das ohne große Übertreibung gespielt werden sollte, es sollte als „avancez/vorwärts" verstanden werden). Die aufsteigende Linie von Sextolen (die streng im Tempo oder mit einem leichten *accelerando* gespielt werden können, wobei bei der letzten Triole vor dem Doppelstrich im Tempo nachgegeben werden sollte) in den Takten 41 und 42 beendet diesen Teil sozusagen mit einer Art Fragezeichen auf dem *as*^{3}.

Lent. Tempo I: dieser Teil – Takte 43-54 – kann als eine Kadenz der Flöte angesehen werden, in der das Tempo des dreiteiligen zweiten Satzes vorbereitet wird, der mit **Vif (à un temps)** bezeichnet ist, und zwar durch das Tempo bei den Triolen zum Ende hin in den Takten 47 und 48.

▪ Takt 43: die Virtuosität der Flöte wird hervorgehoben durch das Arpeggio des Laufs von zwölf Zweiunddreißigsteln hin auf das f^3 in der vierten Spielzeit von Takt 43. Der Lauf von Sextolen sollte einfühlsam gespielt werden, doch ohne dabei auf den Anfang der Triolen in Takt 45 hin zu drängen. Die Dynamik sollte auf sich von selbst ergebende Weise der Linie der Melodie parallel folgen, um am Anfang von Takt 47 recht laut zu sein und dann zum ***p*** in Takt 49 hin nachgeben zu können. Es ist wesentlich, das bei Takt 45 stehende *animez* genau zu realisieren, und vor dem Triller auf dem *des*^{2} vor dem Doppelstrich nach Takt 48 nicht im Tempo nachzugeben.

▪ Takte 49-54: hier sollte sorgfältig auf die Melodieführung geachtet werden, die auf keinen Fall durch ein zu präsentes Détaché beeinträchtigt werden darf, und ebenso auf das abschließende d^3 in den Takten 53 und 54, das durch das vorgeschriebene ***pp*** oft ein wenig zu tief ist.

II. „Vif (à un temps)" (Takte 55-261) – Burleske und Virtuosität

▪ Takte 62-77: die virtuose Introduktion – eine Reverenz an die makellose Regelmäßigkeit der französischen Flötenschule – steht in B-Dur. Es sollte darauf geachtet werden, in Takt 64 nach dem Triller auf dem *a*[2] (Auflösungszeichen) – *b*[2] bei den zweiten Sechzehnteln und in Takt 66 nach dem *g*[3] beim *f*[3] nicht zu spät zu sein.

Das erste Thema des mit **Vif** überschriebenen Teils wird in Takt 77 angekündigt, hier ist darauf zu achten, die *d*[3]-Achtelnote in Takt 79 *staccato* zu spielen. Damit beginnt der leichte, burleske Charakter dieses Themas.

▪ Takte 90 und 92: hier ist darauf zu achten, bei der zweiten *es*[1]-Sechzehntelnote nicht zu spät zu sein.

▪ Takte 98-116: es handelt sich hier um einen Übergang hin zum zweiten Thema des **Vif**, sehr melodisch, gesungen mit der Spielanweisung ***p*** *calme mais bien expressif*. Das Thema ist sehr anmutig und schön phrasiert, und wie beim Thema im **Assez lent** des ersten Satzes ist es auch hier empfehlenswert, den Pralltriller in Takt 120 sehr feinfühlig zu spielen. Das gilt auch für die kleinen Noten in den Takten 124, 126 und 128, um den Ablauf fließend zu gestalten.

▪ Ein sehr virtuoser Teil entwickelt sich ab Takt 141, in dem man das *crescendo* übertreiben und dann ein perlendes, leichtes dreifaches Détaché spielen und zudem direkt nach dem *a*[2] am Anfang von Takt 141 in der Dynamik anstelle des ***f*** ein ***p*** wählen sollte, worauf ab Takt 142-144 ein *crescendo* folgen könnte, das ein *diminuendo* hin zu Takt 145 ermöglicht. Insgesamt bleibt es in der Dynamik beim ***p*** bis zu Takt 151, wo für ein ***mf*** auf dem Triller (*a*[2] – *b*[2]) plädiert werden könnte, damit das ***f*** in Takt 155 nicht zu abrupt kommt.

▪ Takte 149-154: achtung bei den Trillern:
- Takt 149: *d*[1] – *es*[1] und *a* – *h* (Auflösungszeichen)
- Takt 150: *d*[2] – *e*[2]
- Takt 151 und 152: *a*[2] – *b*[2]
- Takt 153: *d*[3] – *e*[3] (Auflösungszeichen; 4. Finger der linken Hand)
- Takt 154: *d*[3] – *es*[3] (Trille mit B-Klappe)

▪ Nach der virtuosen Passage der Takte 156-160 sollte am besten nach dem *g*[2] in Takt 165 geatmet werden, um den Anfang des Themas zu respektieren (zwei punktierte Viertel nacheinander).

▪ Die Takte 182 und 183 leiten hin zu Takt 184 mit einer neuen Tonart und einer Reminiszenz an das Hauptthema des ersten Satzes (Takt 14). Dieses Thema sollte in einer sanften, zurückgenommenen Dynamik gespielt werden, weniger *forte* als die vorhergehende Passage, deshalb ist hier für ein leichtes *diminuendo* in den Takten 182 und 183 zu plädieren.

▪ Die Übergangspassage in den Takten 206-211 mit der Vorschrift *en pressant un peu* – die fließend gespielt werden muss, um auf natürliche Weise wieder zum **A tempo** in Takt 212 zu gelangen – bringt die erneute Exposition der burlesken Melodie vom Anfang des Satzes (Takt 77), aber nun mit der Vorschrift ***p***. Für das Finale (Takte 212-261) muss wie zu Beginn des Satzes auf exaktes, regelmäßiges Fingerspiel geachtet werden. Bei Takt 256 kann in Betracht gezogen werden, eine kurze Fermate auf dem *d*[1] zu spielen, bevor mit dem letzten Lauf ein letztes Mal die Zielsetzung des Stückes zweifelnd in der Schwebe gehalten wird.

Bruno Jouard
(deutsch von Birgit Gotzes)

Fantaisie
per flauto e pianoforte

Genesi

Marc Vignal[1] parla della "fantasia" come di "un pezzo strumentale dalla forma assai libera e vicina all'improvvisazione, ma non senza relazione con forme più regolamentate già in uso. Infatti, la fantasia si sviluppa tra questi due estremi: la libertà, o meglio l'inusuale (nessuno dei due vuole dire l'assenza di regole), da un lato, il rigore dall'altro".[2] La *Fantaisie* del 1912 di Philippe Gaubert, dedicata a Léopold Lafleurance,[3] si inserisce perfettamente in questa definizione. Il brano, articolato in due movimenti, riflette l'epoca d'oro di Debussy, Ravel o anche di Gabriel Fauré. Potrebbe essere un tributo a quest'ultimo poiché Gaubert nutriva per lui una grande ammirazione. Fauré compose la sua *Fantaisie* per flauto e pianoforte nel 1898 per il concorso del Conservatorio di Parigi, Gaubert per i concorsi del 1920 e del 1932.

I numerosi pezzi per flauto scritti da Gaubert testimoniano l'interesse che egli nutriva per lo strumento (anche se, dal 1922, lo abbandonò progressivamente a causa delle labbra divenute fragili che non gli permettevano più il bel virtuosismo di un tempo) e per i flautisti, ossia i suoi allievi (dedicatari della *Ballade* del 1927 e della *Deuxième Sonate* del 1927). Nel 1892, Claude Debussy svelò un nuovo mondo sonoro grazie al famoso solo del flauto nel *Prélude à l'après midi d'un faune*, che conferì allo strumento un nuovo marchio di nobiltà. Anche Gaubert partecipò a questa scoperta con la sua *Fantaisie*: colori cangianti, spirito evanescente e improvvisativo.

[1] Marc Vignal (1933) musicologo, giornalista e conduttore radiofonico francese.

[2] Marc Vignal, *Fantaisie, musique*, Encyclopaedia Universalis, https://www.universalis.fr/encyclopedie/fantaisie-musique/, consultato il 6 agosto 2018.

[3] Léopold Jean-Baptiste Lafleurance (1865 - 1953), flautista francese e professore al Conservatoire de Paris dal 1915 al 1919. Amico caro di Philippe Gaubert, allievo di Henri Altès e in seguito di Taffanel, fu flauto solista presso le Orchestres Lamoureux, dell'Opéra de Paris e della Société des Concerts.

Note per l'interpretazione

Queste note intendono accompagnare il flautista nell'interpretazione dell'opera e non imporgliene una. La *Fantaisie* è divisa in due parti:

I. Moderato, quasi fantasia
   Assez Lent
   Lent. Tempo I
II. Vif (à un temps)

Essa raccoglie e mette in evidenza tutte le qualità tecniche del flauto: la morbidezza sonora su tutta la gamma di suoni, la regolarità delle dita e lo staccato impeccabile (una strizzatina d'occhio ai futuri esercizi giornalieri del 1927)[4].

I. "Moderato, quasi fantasia" (bb. 1 - 13): un flauto in libertà

Si avvicina a un'improvvisazione. In questa parte introduttiva, notiamo che sono chiaramente messi in risalto la libertà e il virtuosismo del flauto, sottolineati da interventi estremamente rari del pianoforte. La figura ritmica della terzina è stata scelta per accentuare e consentire lo spirito di "rubato fantasia".

- Bb. 1 - 3: introducono immediatamente lo spirito improvvisativo tramite l'uso delle terzine, che non andranno eseguite rigorosamente a tempo. Il ***pp*** dolce deve essere in generale rispettato per evidenziare la ripetizione di questo inizio alle bb. 4, 5, 6 e 7. Prestare attenzione all'articolazione del *la* di b. 2, che deve riprendere lo stesso colore lasciato in precedenza, quindi attaccare dolcemente.
- Bb. 8 - 13: inizia qui una seconda parte dal carattere improvvisativo, sostenuta da volatine di sestine di biscrome - bb. 8 e 10 - che non andranno suonate troppo velocemente per mantenere la calda morbidezza del movimento.
- Fare attenzione a controllare - come un tenuto - il *sol* croma del terzo tempo di b. 8 per indicare la direzione del fraseggio - che si potrà enfatizzare con un leggero crescendo naturale verso il *sol* della b. 9, che scenderà con un diminuendo naturale verso il *do*♯ in

[4] I "17 exercices journaliers" sono contenuti nella celebre *Méthode complète de flûte* scritta da Philippe Gaubert e dal suo maestro Paul Taffanel, uno dei fondatori della scuola francese di flauto.

p, per rilanciare lo stesso discorso, iniziando con la dinamica *p* nelle bb. 10 e 11. Lo stesso vale per il *sol* acuto croma del terzo tempo di b. 10, che bisogna mantenere – come un tenuto – per arrivare al *sol* acuto di b. 11 in un crescendo naturale.

▪ B. 11: è indispensabile tenere la dinamica *f* (non aggressiva) per realizzare una buona uniformità di sfumature tra le bb. 12 e 13.

Raccomando di distendere un po' – per quanto riguarda la velocità delle dita – il secondo motivo velocissimo *pp* di b. 13 e di trattenere un po' più a lungo il *sol* acuto del quarto tempo per dare davvero la sensazione di eco. Sempre nelle bb. 12 e 13, fare attenzione al vibrato dei *do*♯ gravi minima: nel *do*♯ *f* è piuttosto rapido, mentre nel *do*♯ di b. 13 è quasi nullo.

L'**Assez lent** (piuttosto lento) (bb. 14–42) espone il tema principale di questo primo movimento. L'interprete dovrà attenersi in questa parte a un tempo rigoroso, poiché il carattere di fantasia sarà portato naturalmente dall'andamento in onde fluttuanti supportate, fino alla fine del movimento, dalle dinamiche, che spesso passano dal *p* al *f*. È un vero dialogo tra flauto e pianoforte.

▪ La prima frase si sviluppa su cinque battute (14–18). Deve essere piuttosto sonora – *mf* – e sempre molto legata, con un'articolazione morbida che favorisca la fluidità del discorso. La frase successiva, che riprende lo stesso tema ma sviluppandolo un po' più in alto, potrà sbocciare in una sfumatura molto più dolce da b. 19 a 21. Il crescendo delle bb. 20 e 21, il *p* (subito) delle bb. 22 e 24 e l'*en animant un peu* (sostenuto nella parte di pianoforte da ondate di biscrome perlacee in *pp*) promuoveranno pienamente questo carattere di fantasia, che è essenziale esprimere sino a b. 28.

▪ B. 26: è possibile declamare il *fa*♯, il *sol* e il *mi*♭ semiminime acute adottando un'articolazione più precisa, più incisiva. Possiamo anche suonarli tenuti, come indicato, per arrivare più velocemente al primo tempo di b. 27 con il *re* croma e il *do* appoggiato di b. 28.

▪ La b. 29 riprende l'incipit del tema alla terza superiore e il discorso viene rapidamente interrotto da figure ritmiche che riprendono il carattere improvvisativo dell'inizio del brano. Le piccole note di b. 31 seminano qualche dubbio nella successione armonica; si devono quindi seguire alla lettera i crescendo/diminuendo e bisogna porre attenzione a una buona qualità del suono sul *sol*♯ acuto del quinto tempo.

Gaubert, sempre per far percepire il carattere improvvisativo dell'introduzione (a b. 32 si torna al $\frac{3}{4}$), riprende alcuni motivi e ornamentazioni della prima parte, in particolare il mordente (attenzione a non esagerare con il *plus vite*), ma anche nuove figurazioni velocissime, che saranno eseguite più rapidamente perché si tratta di settimine.

▪ Bisogna porre attenzione a una buona espressione delle indicazioni, come per il *presser* (*stringendo*) di b. 37 (che sarà eseguita senza esagerare e andrà intesa come un "procedere"). Le volatine di sestine di 41 e 42 – che si potranno eseguire a tempo o con un leggero accelerando, con l'ultima terzina a distendere il tempo prima della corona – concludono questa parte con un punto interrogativo sul *la* bemolle acuto.

Il **Lento. Tempo I** (bb. 43–54) può essere considerato come una cadenza del flauto che prepara la velocità del secondo movimento, **Vif (à un temps)** – Vivace (in uno) –, ternario, tramite la velocità delle terzine finali delle bb. 47 e 48.

▪ Nella b. 43 il virtuosismo del flauto è evidenziato dalla linea di dodici biscrome con l'arpeggio verso il *fa* acuto del quarto tempo. Suoneremo la linea in sestine di semicrome delicatamente, senza spingere verso l'inizio delle terzine a b. 45. Seguiremo un disegno naturale di dinamica parallelamente alla curva della melodia per arrivare con un forte assai all'inizio di b. 47, in modo da poter diminuire verso il *p* di b. 49.

▪ È essenziale rendere bene l'*animez* (*animato*) indicato a b. 45 e non decelerare prima del trillo sul *re*♭ acuto con la corona a b. 48.

▪ Bb. 49–54: prestare attenzione sia al discorso, che non deve essere mai disturbato da un'articolazione troppo evidente, sia all'ultimo *re* acuto a bb. 53 e 54 spesso un po' flebile a causa del *pp*.

II. "Vif (à un temps)" (bb. 55–261): il burlesco e il virtuosismo

▪ Bb. 62–77: introduzione virtuosistica – riferimento alla impeccabile regolarità della scuola francese di flauto – in Si♭ maggiore. Ponete attenzione a non arrivare in ritardo sulla seconda semicroma di b. 64 – dopo un trillo sul *la*♮ passando al *si*♭ – e 66 – dopo il *sol* acuto, passando al *fa* acuto.

▪ Il primo tema del **Vif** (Vivace) è annunciato a b. 77; assicuratevi di ben caratterizzare il *re* acuto croma a b. 79 che dà inizio allo spirito leggero e burlesco di questo tema.

▪ Bb. 90 e 92: porre attenzione a non entrare in ritardo sul *mi*♭ seconda semicroma.

▪ Bb. 98–116: abbiamo una transizione al secondo tema del **Vif** (Vivace), molto melodioso, cantato *p calme mais bien expressif* (calmo ma molto espressivo). Il tema è bello e ben collegato, come quello dell'**Assez lent** del primo movimento, quindi consiglio di suonare delicatamente il mordente a b. 120, come le notine a 124, 126 e 128 per evitare qualsiasi durezza nel discorso.

▪ Una parte molto virtuosistica si sviluppa a partire da b. 141 e opterei per esagerare qui il crescendo, quindi mantenere l'articolazione in terzine, perlacea e leggera, cambiando la dinamica *f* in *p*, subito dopo il *la*

Musique française

Philippe Gaubert
FANTAISIE

Flûte et piano • Flute and piano • Flöte und Klavier • Flauto e pianoforte

flûte

ÉDITIONS SALABERT

à L. Lafleurance

Flûte

FANTAISIE

pour flûte et piano

Philippe Gaubert
(1912)

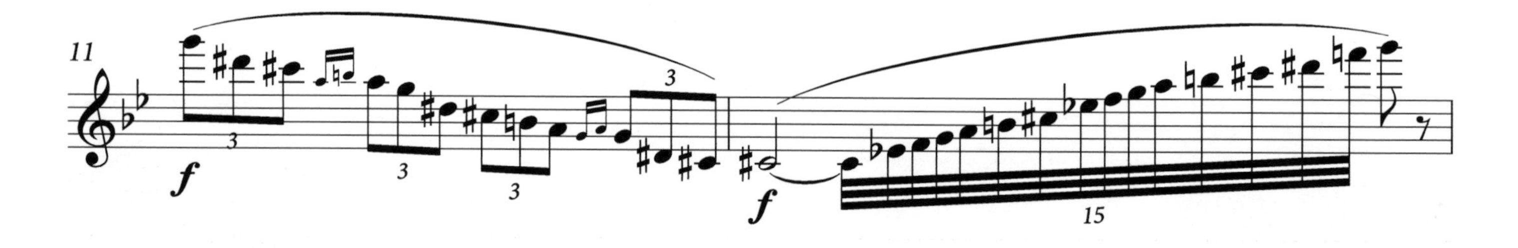

EAS 20432

19
p
f

22
en animant un peu
pressez
p
cresc.
p

25
poco rit.
cédez
f

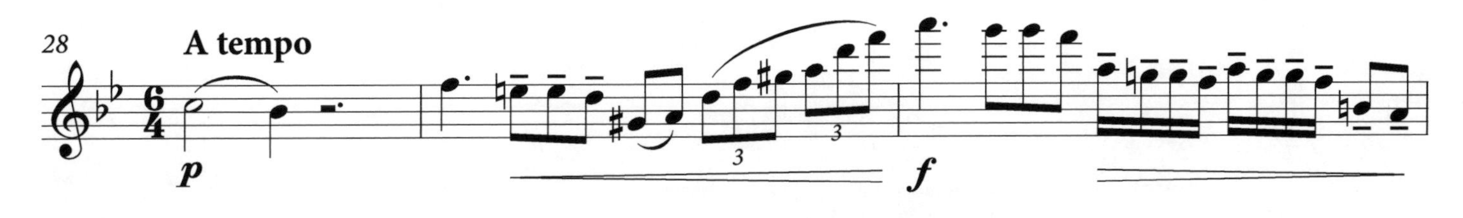
28
A tempo
p
f

31
Plus vite

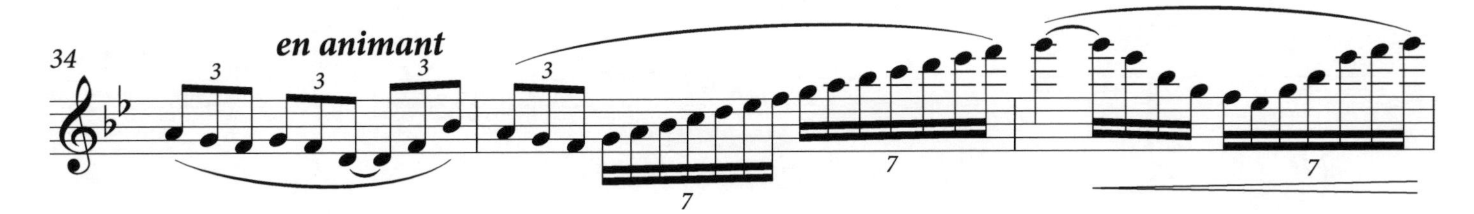
34
en animant

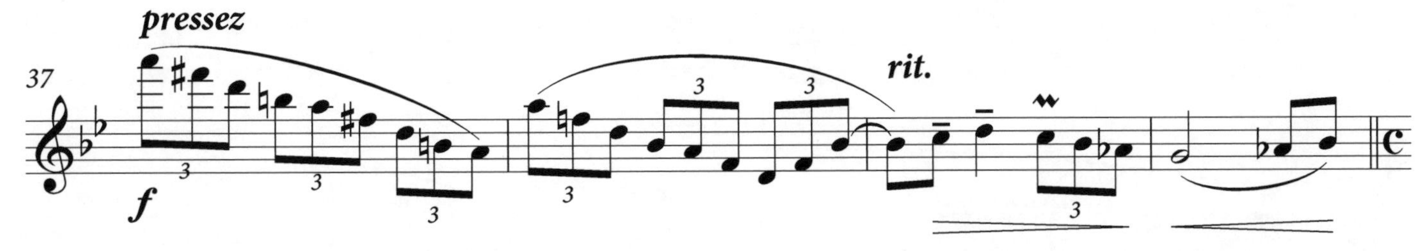
37
pressez
rit.
f

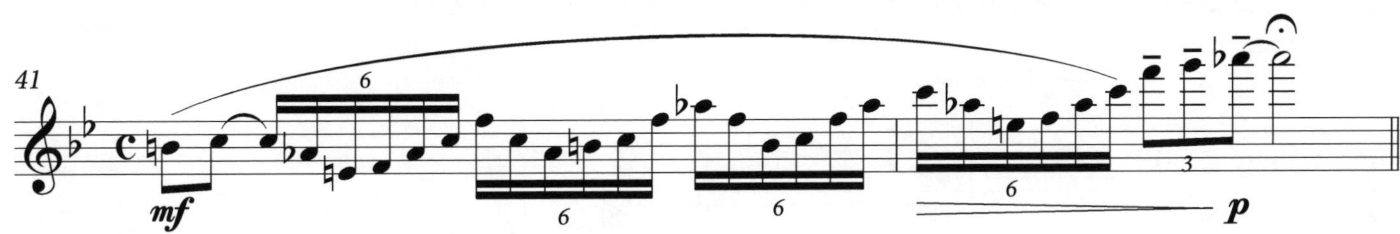
41
mf
p

Lent. Tempo I
animez
A Tempo I
pressez un peu
rall.
Vif (à un temps)
très léger

91
p

98

107
p
cresc.
p calme, mais bien expressif

121

130
cresc.
p

140
f

144
p léger

148
f

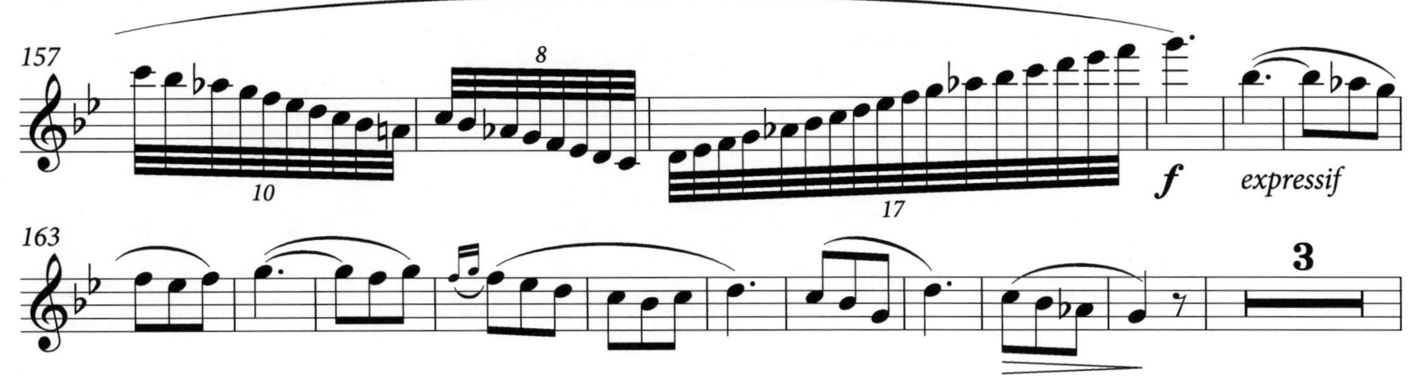
157
f
expressif
163

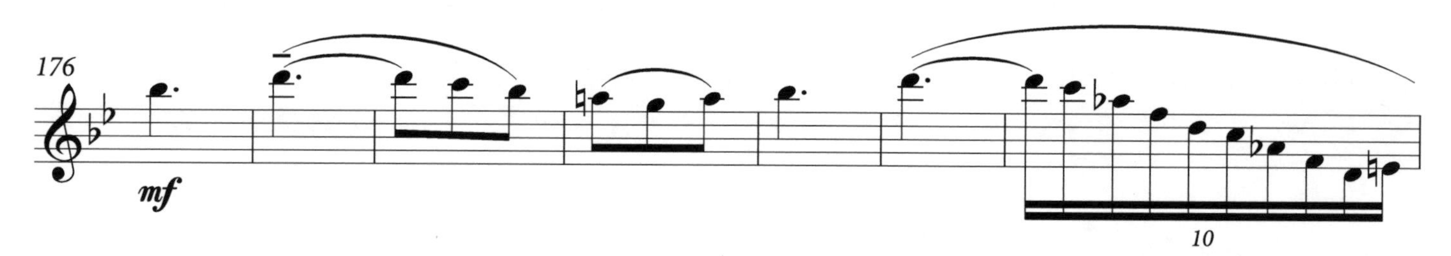
176
mf
10

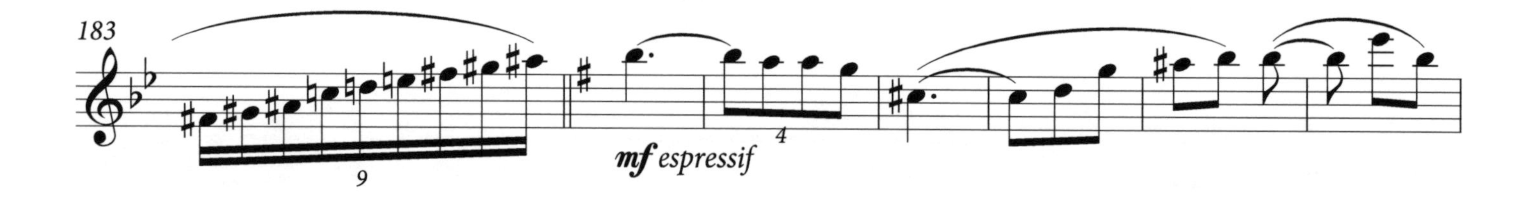
183
9
mf espressif
4

190
4
cresc.

en pressant
un peu
199
f
ff

pressez un peu
207
8
8
7

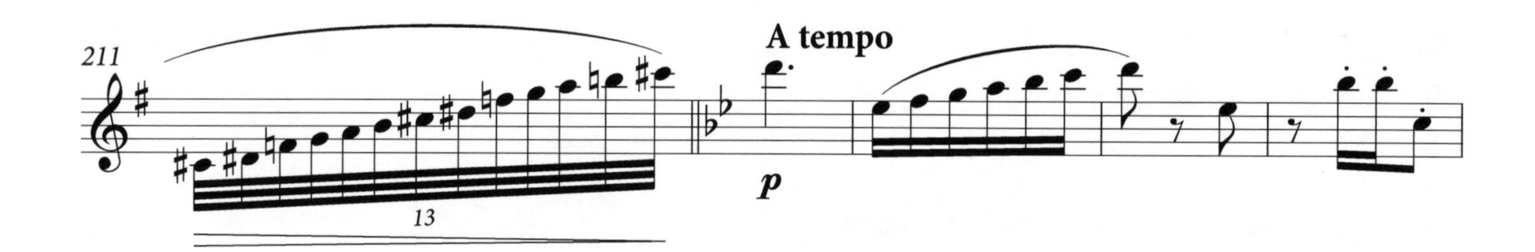
A tempo
211
13
p

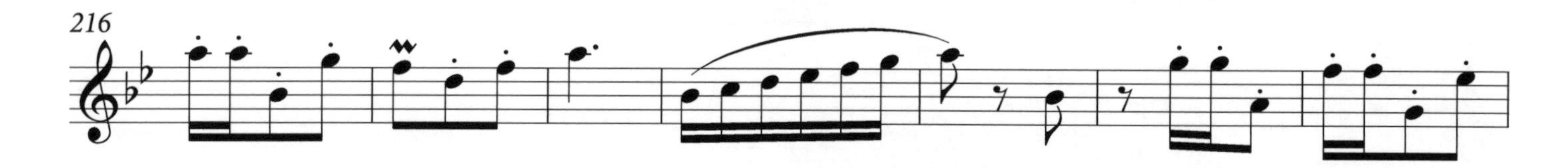
216

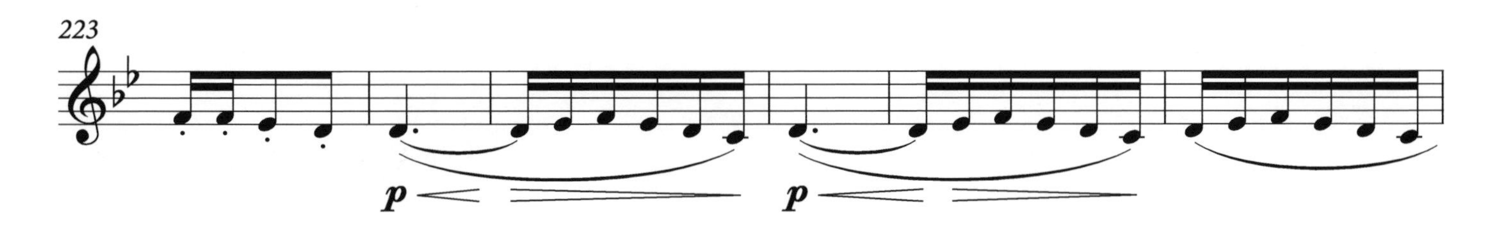
223
p
p

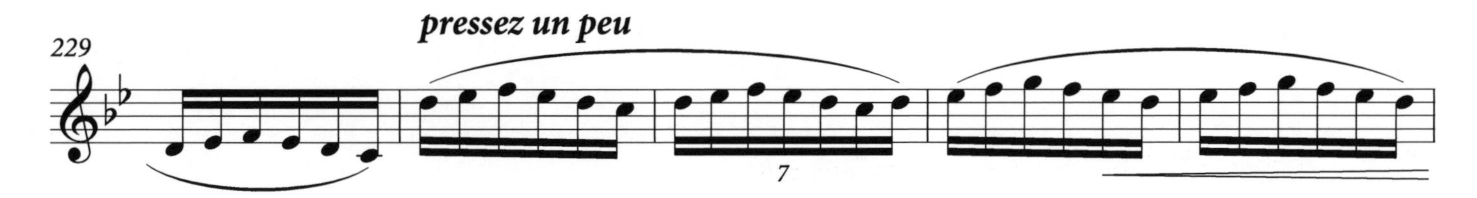
pressez un peu
229
7

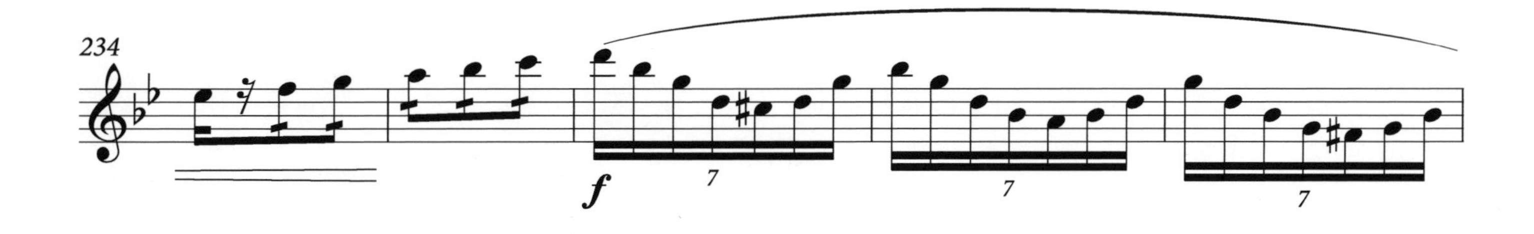
234
f
7
7
7

239
7
cresc.

246
f

250
1
p
f

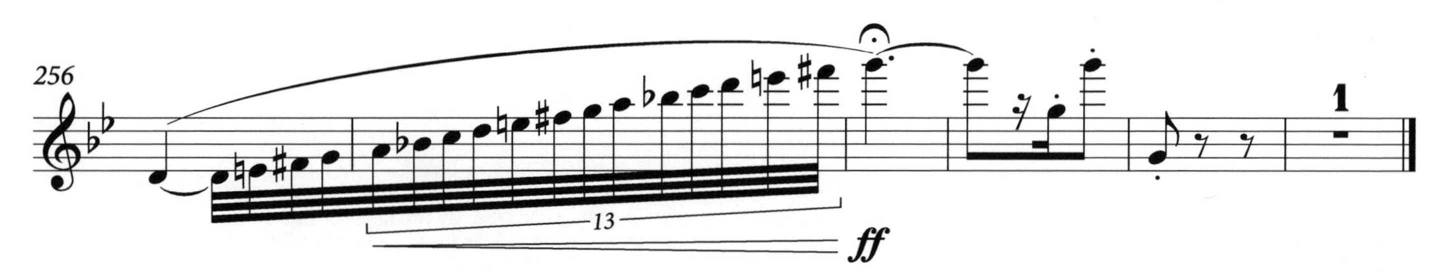
256
13
ff
1

édition du 15 octobre 2018

EAS 20432

acuto in *f* all'inizio di 141. Quindi passerei a un crescendo da 142 a 144 che consentirà un diminuendo verso 145. La dinamica generale rimane *p* sino a 151, dove opterei per un *mf* sul trillo *la* – *si*♭ in modo che il *f* non arrivi troppo bruscamente a b. 155.

▪ Bb. 149 – 154: prestare attenzione ai diversi trilli:
- b. 149: *re* grave – *mi*♭ e *la*♮ – *si*♮
- b. 150: *re* – *mi*
- bb. 151 e 152: *la* – *si*♭
- b. 153: *re* acuto – *mi* acuto (quarto dito mano sinistra)
- b. 154: *re* acuto – *mi*♭ acuto (chiave di trillo B).

▪ Dopo il passaggio virtuosistico delle bb. 156 – 160, sarebbe meglio respirare dopo il *sol* croma di 165 per rispettare l'incipit del tema (due semiminime puntate e legate).

▪ Le bb. 182 e 183 portano a 184 con una nuova armatura in chiave e un richiamo del tema principale del primo movimento (b. 14); consiglio di suonare questo tema con una dinamica morbida, meno forte rispetto al passaggio precedente, motivo per cui preferirei un leggero diminuendo su 182 e 183.

▪ Il passaggio di transizione delle bb. 206 – 211 *en pressant un peu* (un po' stringendo) – che deve essere suonato in modo fluido per riportare naturalmente l'**A tempo** di 212 – porta la riesposizione della melodia burlesca di inizio movimento (b. 77) ma questa volta in *p*. Per il finale, bb. 212 – 261, come all'inizio del movimento, fare attenzione a una buona regolarità delle dita. A 256 è ipotizzabile aggiungere una breve corona sul *re* grave prima di suonare l'ultima volatina e far aleggiare per un'ultima volta il dubbio sulla chiusura del brano.

Bruno Jouard
(traduzione di Luisella Molina)

à L. Lafleurance

FANTAISIE

pour flûte et piano

Philippe Gaubert
(1912)

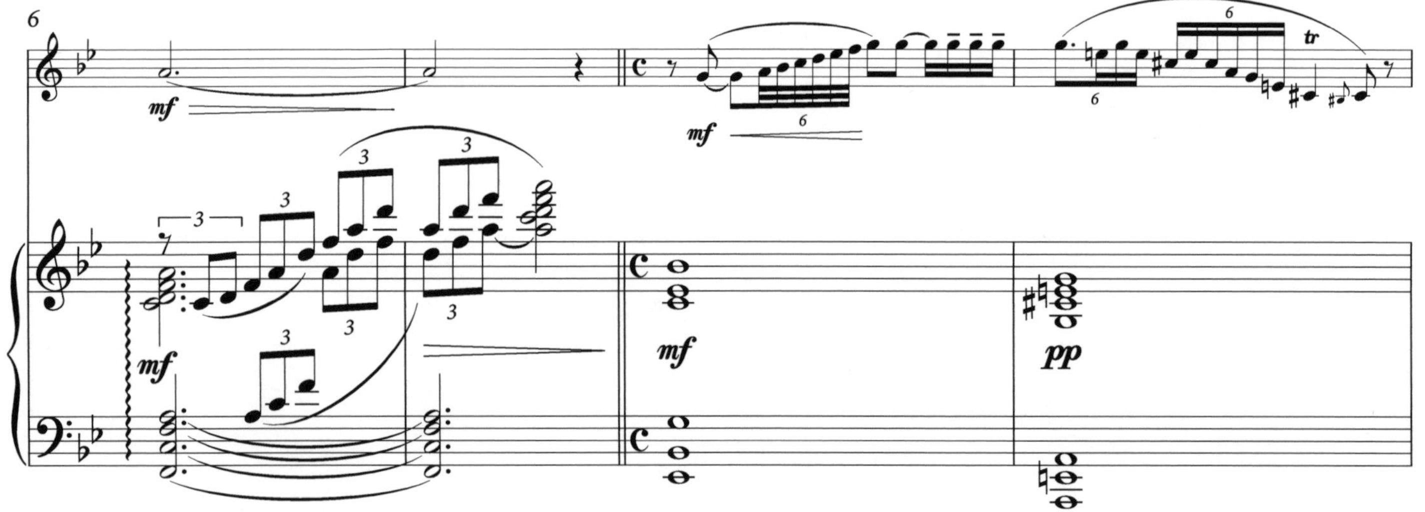

EAS 20432

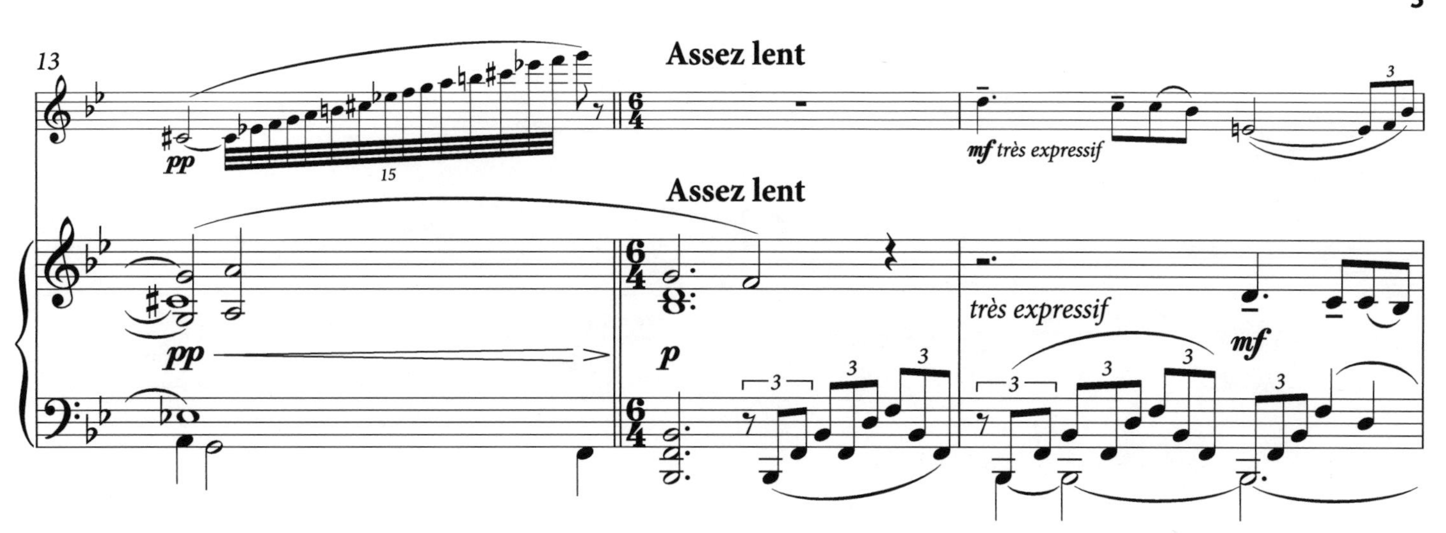
13
Assez lent
pp
15
mf très expressif
Assez lent
pp
p
très expressif
mf

16
p
mf
p
mf

19
p
f
p
f

22
en animant un peu
p
en animant un peu
pp
7

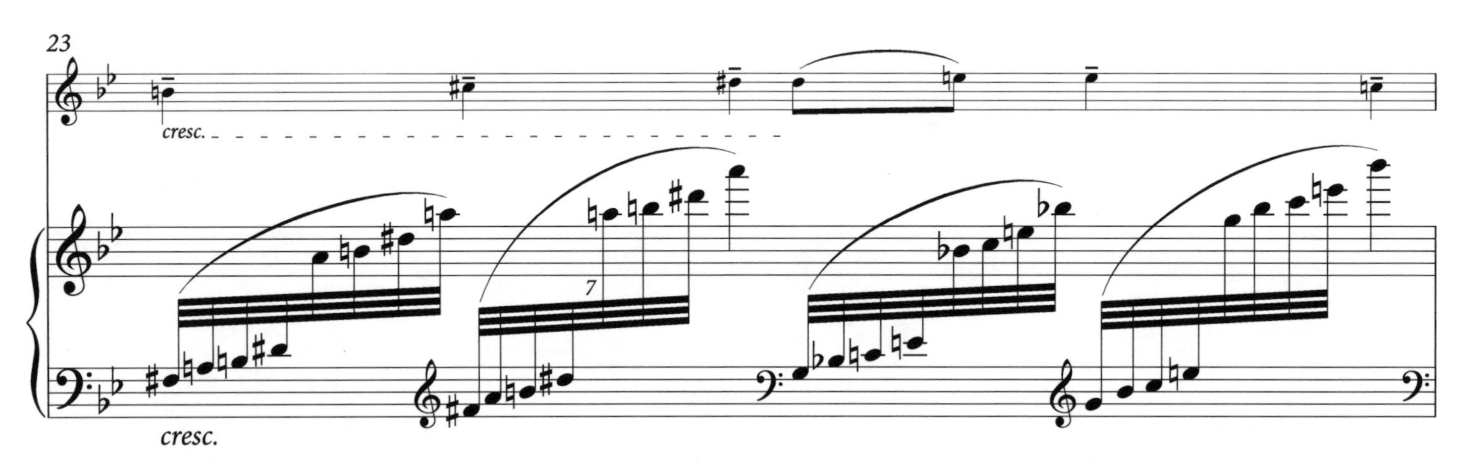
23
cresc.
cresc.
7

24
poco rit.
cédez
p
f
pressez
p
cresc.
poco rit.
cédez
f
3

28
A tempo
p
f
A tempo
p
3
mf
p

31
Plus vite
en animant
Plus vite
en animant
p
p

pressez
pressez

rit.
rit.

Lent. Tempo I
Lent. Tempo I

animez
animez

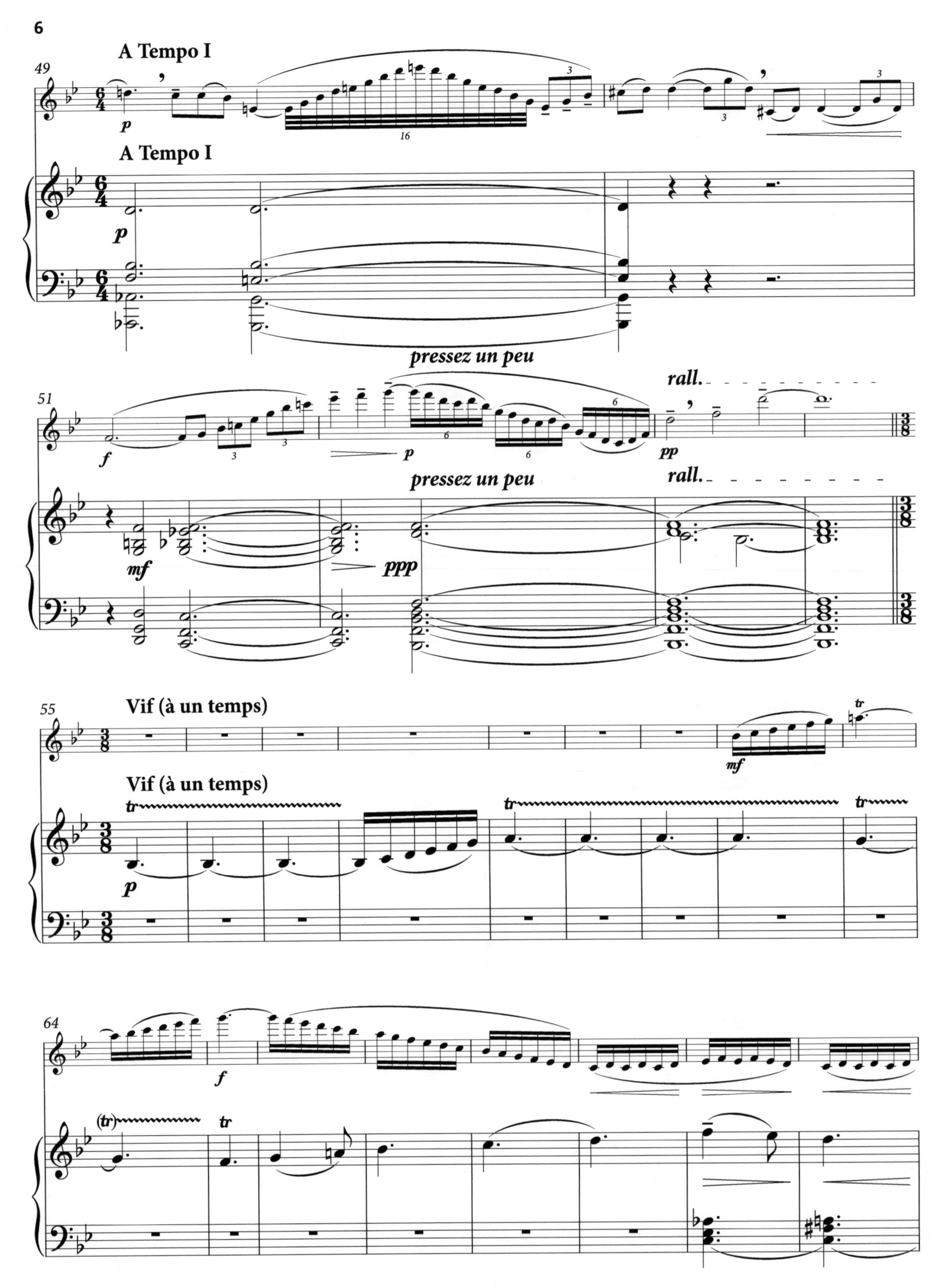
A Tempo I
49
A Tempo I
pressez un peu
rall.
51
pressez un peu
rall.
55
Vif (à un temps)
Vif (à un temps)
64

72
10
mf
très léger
p

79

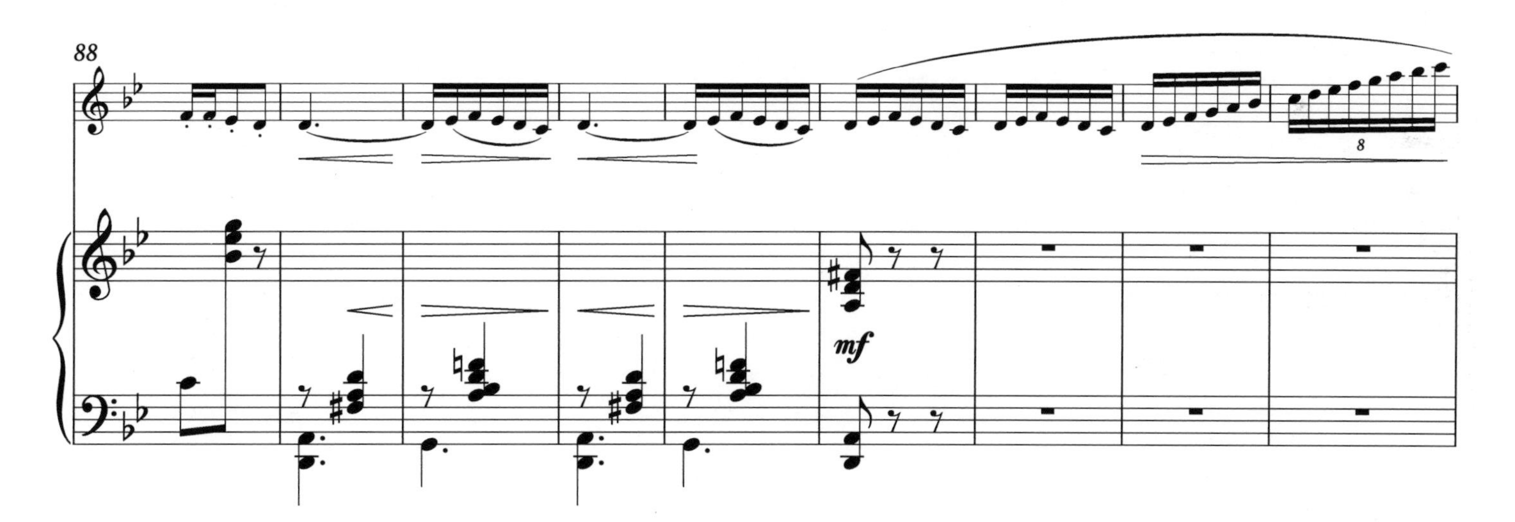
88
8
mf

97
p
pp

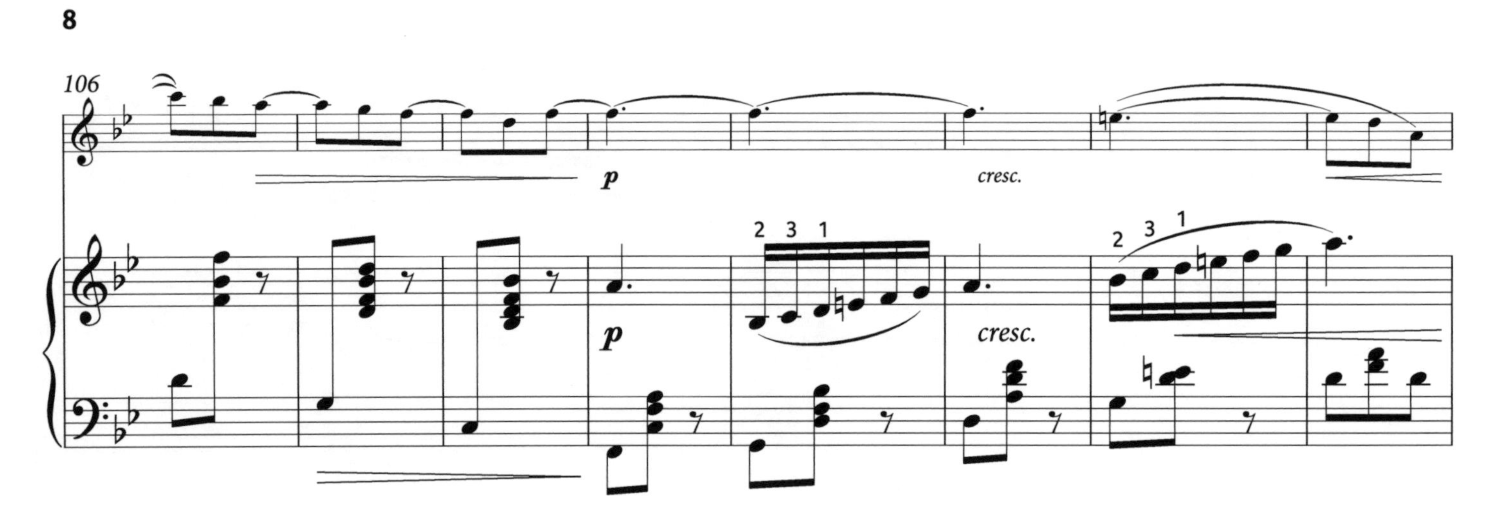
106
p
cresc.
2 3 1
p
cresc.
2 3 1

114
p calme, mais bien expressif
pp

122

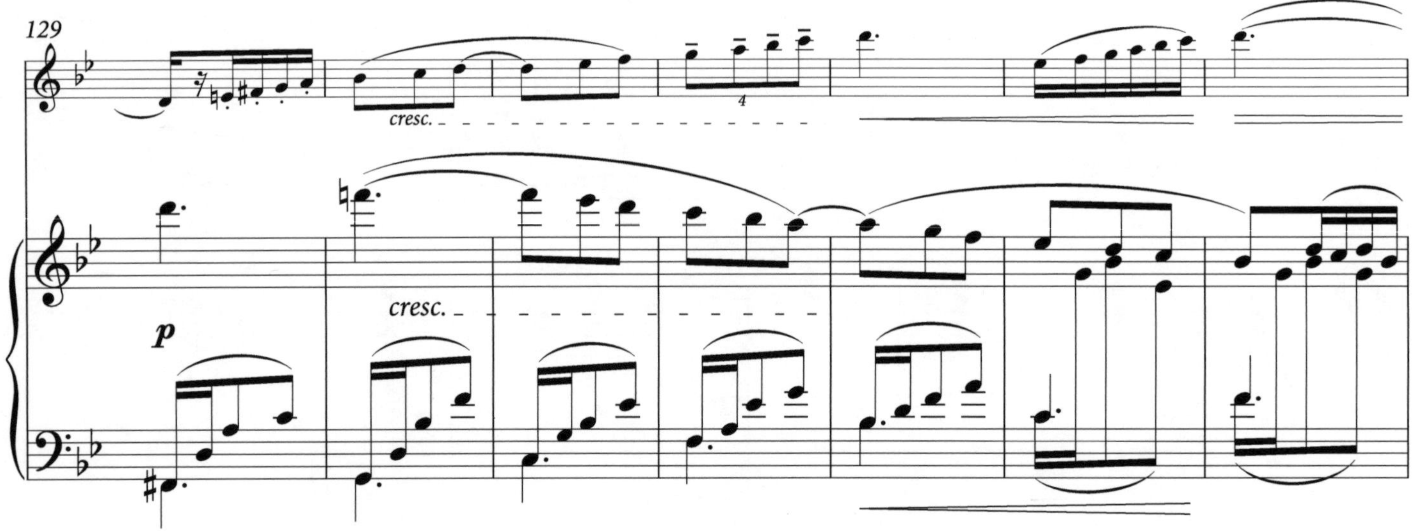
129
cresc.
4
p
cresc.

136
p
f
pp
mf

143
p léger
p
p léger

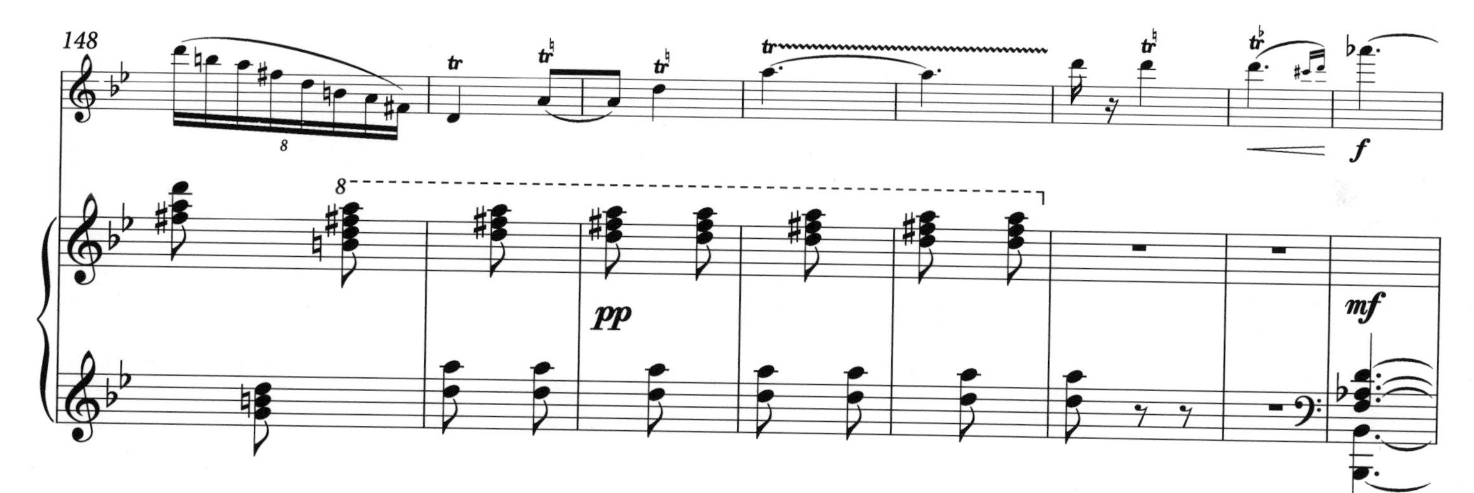
148
f
pp
mf

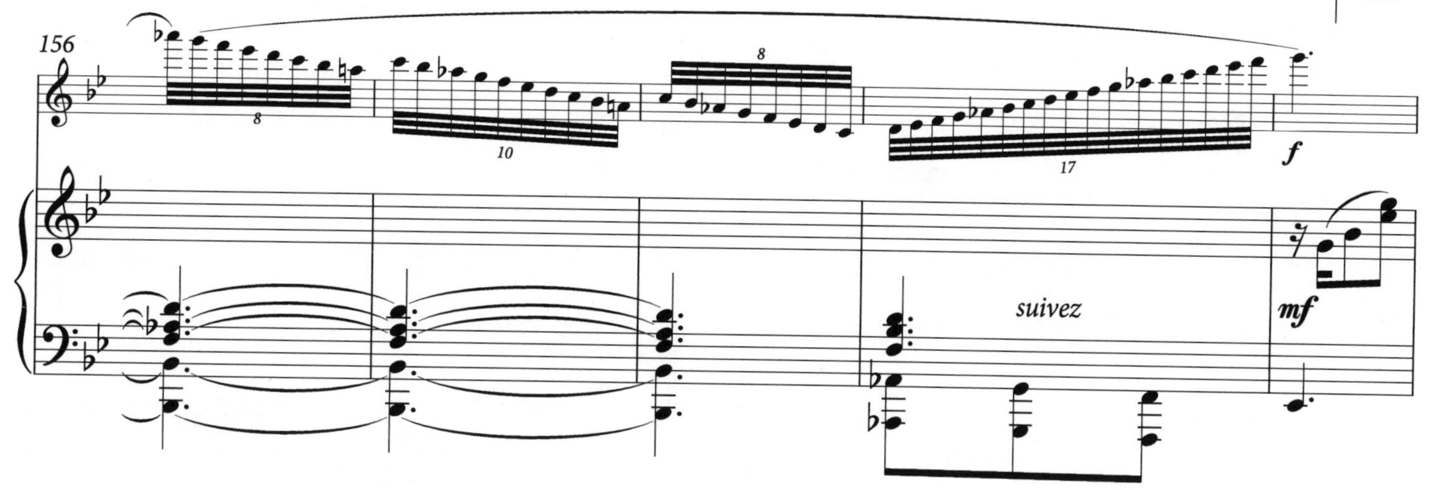
156
f
suivez
mf

161
expressif

168
p
cresc.

175
mf
mf

182
10
9
mf espressif
4
p
en dehors

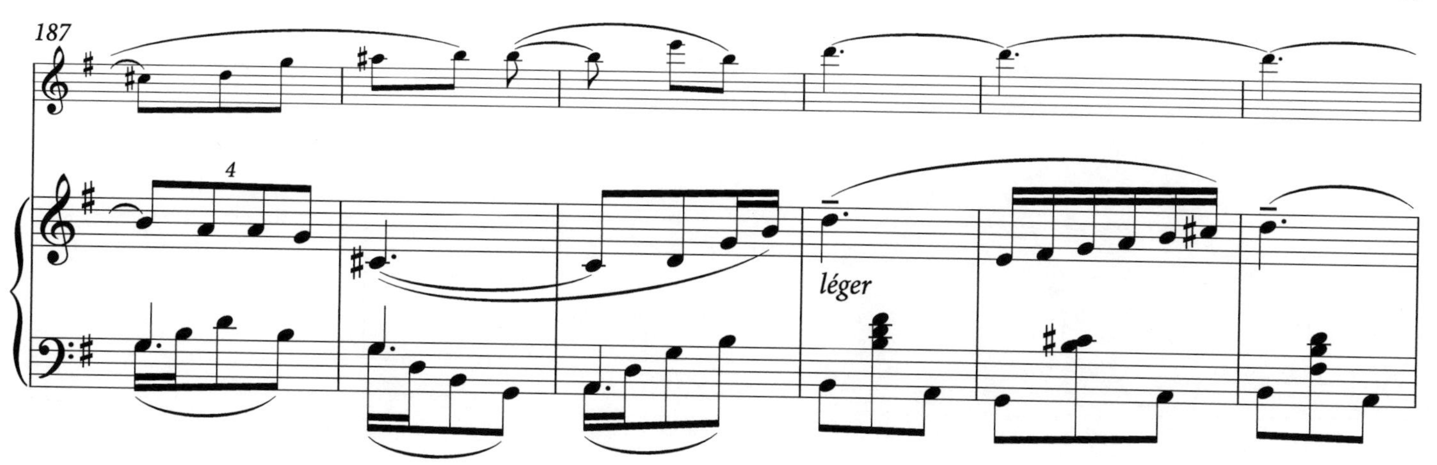
187
4
léger

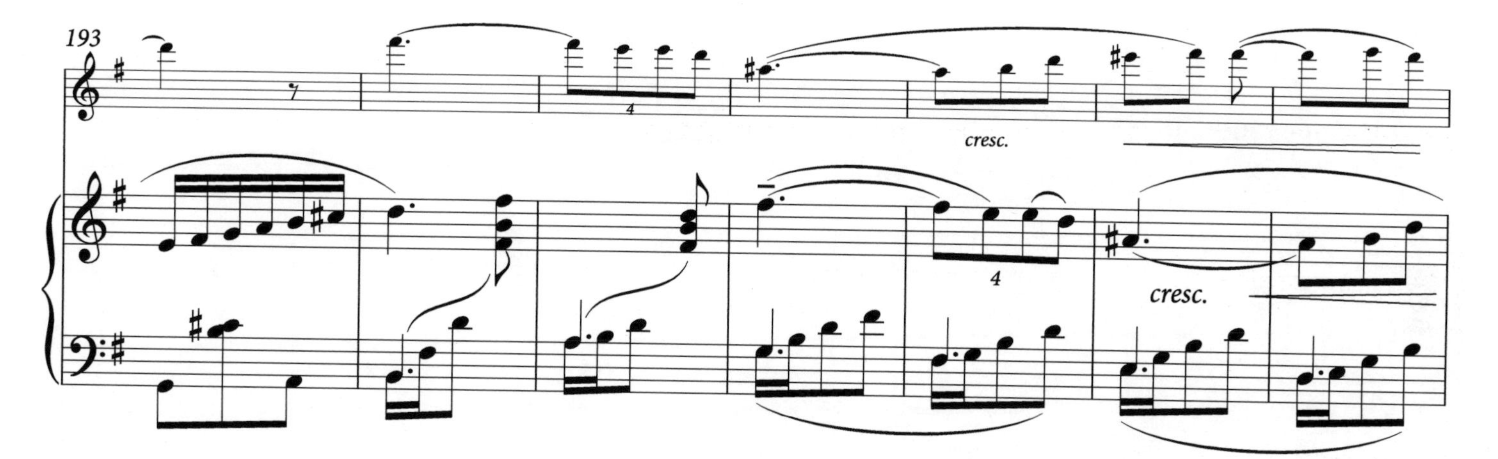
193
4
cresc.
4
cresc.

200
f
en pressant
un peu
ff
en pressant
un peu
f
ff

207
pressez un peu
8
8
7
13

A tempo
212
p
A tempo
p

219
p

226
pressez un peu
7
p
pressez un peu

232
f
7
7
mf

238
7
7
cresc.
fp

244
f

249
p
f
p
mf

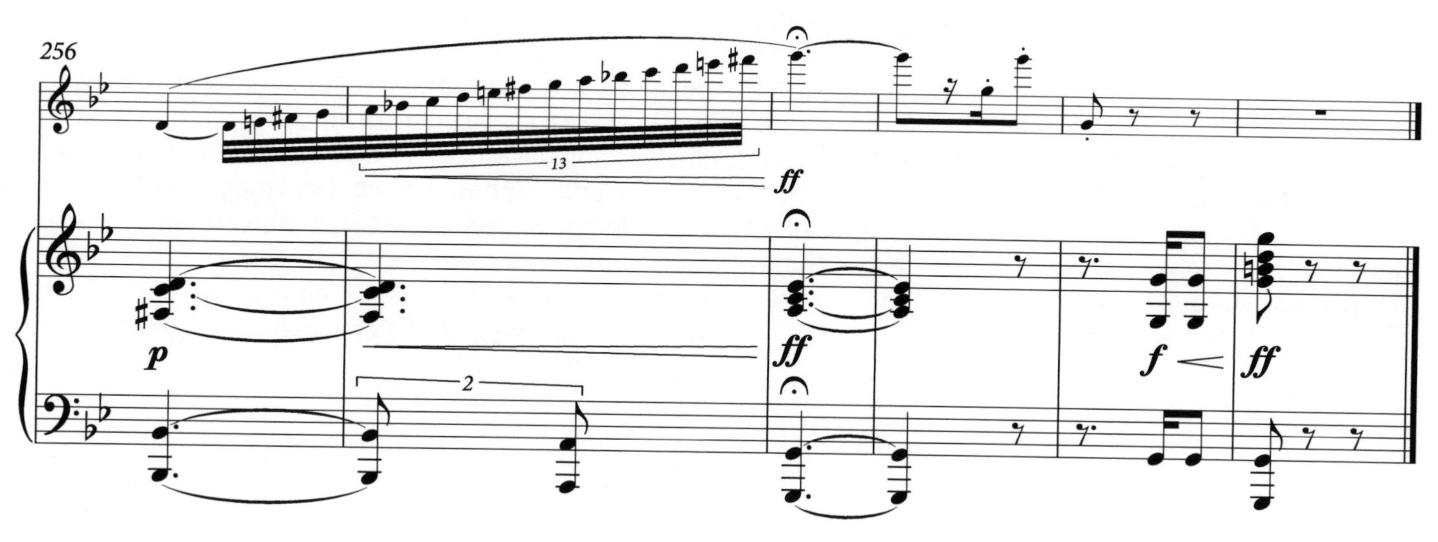
256
13
ff
p
2
ff
f
ff

Bruno Jouard, flûtiste français, né en 1979, obtient sa médaille d'or au Conservatoire de Versailles après 5 ans d'études. Admis par la suite à la Hochschule für Musik und Theater de Munich en Allemagne, il obtient ses prix de Meisterklasse de flûte, de pédagogie et musique de chambre.
Bruno Jouard est régulièrement invité en tant que musicien d'orchestre, soliste ou chambriste sous la direction de chefs tels que Zubin Mehta, Konstantia Gourzi, Hansjörg Albrecht, Enoch zu Guttenberg, Michael Luig, Daniel Grossmann.
Son intérêt pour tous les arts l'a amené à se produire avec des comédiens, danseurs et poètes, à de nombreux festivals et salles prestigieuses en France comme à l'étranger. Bruno Jouard est particulièrement actif au soutien et développement de la musique contemporaine. Il joue et créé des œuvres de compositeurs tels que Alain Louvier, Bernd Redmann, Alain Bancquart, Aurelio Edler-Copes, Harald Genzmer, Dieter Acker, Frank Michael Beyer... et enregistre régulièrement pour la radio.
Bruno Jouard est professeur d'enseignement artistique et enseigne actuellement au Conservatoire de Massy, près de Paris.

Bruno Jouard is a French flautist, born in 1979. After five years' study at the Conservatoire de Versailles he received the gold medal; thereafter he attended the Hochschule für Musik und Theater in Munich, Germany, and was awarded prizes for flute masterclass, pedagogy, and chamber music.
Bruno Jouard is frequently in demand, equally as an orchestral musician, soloist or chamber player, working with such conductors as Zubin Mehta, Konstantia Gourzi, Hänsjörg Albrecht, Enoch zu Guttenberg, Michael Luig and Daniel Grossmann.
His interest in all the arts has led him to work with actors, dancers and poets at numerous festivals and concert halls, both in France and abroad. Bruno Jouard is particularly involved in the support and development of contemporary music. He has performed and premièred the works of such composers as Alain Louvier, Bernd Redmann, Alain Bancquart, Aurelio Edler-Copes, Harald Genzmer, Dieter Acker and Frank Michael Beyer, and regularly makes recordings for the radio.
Bruno Jouard is a professor of arts education, currently teaching at the Conservatoire de Massy, near Paris.

Bruno Jouard, französischer Flötist (* 1979), absolvierte zunächst ein fünfsjähriges Studium am Konservatorium von Versailles. Daran schloss er ein Meisterklasse-Studium in Flöte, Pädagogik und Kammermusik an der Hochschule für Musik und Theater München an.
Bruno Jouard wird regelmäßig als Orchestermusiker, Solist oder Kammermusiker eingeladen, mit Dirigenten wie Zubin Mehta, Konstantia Gourzi, Hänsjörg Albrecht, Enoch zu Guttenberg, Michael Luig und Daniel Grossmann zu musizieren.
Er interessiert sich auch für alle anderen Künste und hatte u.a. zusammen mit Schauspielern, Tänzern und Schriftstellern Auftritte bei zahlreichen Festivals und bei renommierten Veranstaltern in Frankreich und im Ausland. Bruno Jouard engagiert sich ganz besonders für die zeitgenössische Musik. Er spielt Uraufführungen und hat Werke von Komponisten wie Alain Louvier, Bernd Redmann, Alain Bancquart, Aurelio Edler-Copes, Harald Genzmer, Dieter Acker und Frank Michael Beyer in seinem Repertoire. Regelmäßig entstehen Aufnahmen für den Rundfunk.
Bruno Jouard unterrichtet derzeit als Professor am Conservatoire de Massy bei Paris.

Bruno Jouard, flautista francese, nato nel 1979. Dopo cinque anni di studio, ha conseguito la medaglia d'oro al Conservatoire di Versailles. In seguito è stato ammesso alla Hochschule für Musik und Theater di Monaco di Baviera, dove ha conseguito il perfezionamento in flauto, pedagogia e musica da camera.
Bruno Jouard è invitato regolarmente ad esibirsi sia come musicista d'orchestra sia come solista, o in gruppi cameristici, e ha suonato sotto la direzione di musicisti quali Zubin Mehta, Konstantia Gourzi, Hänsjörg Albrecht, Enoch zu Guttenberg, Michael Luig e Daniel Grossmann.
Il suo interesse per le arti lo ha portato a collaborare con attori, danzatori e poeti in molti festival e prestigiose sale sia in Francia sia all'estero. Bruno Jouard si dedica in particolare al sostegno e allo sviluppo della musica contemporanea. Interpreta ed effettua la prima esecuzione delle opere di compositori quali Alain Louvier, Bernd Redmann, Alain Bancquart, Aurelio Edler-Copes, Harald Genzmer, Dieter Acker, Frank Michael Beyer, e realizza regolarmente alcune registrazioni radiofoniche.
Bruno Jouard è docente di educazione artistica e attualmente insegna al Conservatorio di Massy, nei pressi di Parigi.